Moi a'r Siarc

Argraffiad cyntaf: 2015
Ail argraffiad 2018

Dymuna'r cyhoeddwyr gydnabod cymorth ariannol Adran Addysg a Sgiliau (ADaS) Llywodraeth Cymru.

Ariennir yn Rhannol gan
Lywodraeth Cymru
Part Funded by
Welsh Government

Dylunio: Richard Ceri Jones

Rhif Llyfr Rhyngwladol: 978-1-78461-221-4

Cyhoeddwyd ac argraffwyd yng Nghymru
ar bapur o goedwigoedd cynaladwy gan
Y Lolfa Cyf., Talybont, Ceredigion SY24 5HE
gwefan www.ylolfa.com
e-bost ylolfa@ylolfa.com
ffôn 01970 832 304
ffacs 832 782

Cyfres Ned y Morwr 4

Moi a'r Siarc

Haf Llewelyn

y Lolfa

Lluniau Valériane Leblond

Dyma Ned.
Morwr ydy Ned.

Mae Ned yn y cwch.

Dyma Moi Cnoi.
Ci da ydy Moi Cnoi.

Mae Ned a Moi Cnoi
yn pysgota yn y cwch.

Sblish, sblash.

Mae cwch Ned ar y môr mawr.

Mae Ned wedi dal pysgodyn.

Da iawn wir!

Mae'r pysgodyn yn fawr.
Pysgodyn mawr fel…

… SIARC!

O na!

Siarc mawr fel cawr.

Gwylia, Ned!
Gwylia, Moi!

Mae'r siarc yn agor ei geg
yn fawr, fawr, fawr.

Mae'r siarc yn ffyrnig.
Mae gan y siarc ddannedd
mawr fel cawr.

Cuddia, Ned.

Cuddia, Moi Cnoi.

Mae Ned yn cuddio.

Mae'n cuddio y tu ôl i
Moi Cnoi.

Twt lol, Ned!
Mae Moi Cnoi yn dangos
ei ddannedd mawr.

Mae ofn ar y siarc.

Mae'r siarc yn cuddio.
Diolch, Moi Cnoi!

Geiriau ychwanegol Llyfr 4

gwylia	agor
ei	ceg
cuddio	cuddia
siarc	ffyrnig
ofn	GRRR!
ar	tu ôl
dangos	diolch